LA FABBRICA DEI COLORI

I LABORATORI DI

Hervé Tullet

L'ippocampo

SOMMARIO

Hervé Tullet

VI DÀ IL BENVENUTO

Bonjour !

Nelle pagine seguenti, vi propongo di venire dietro le quinte
dei miei laboratori.

Da molti anni realizzo laboratori creativi con bambini di tutto
il mondo, da Los Angeles a New Delhi, da Parigi al Malawi.
Tutto è cominciato con semplici letture dei miei libri
nelle classi, che ben presto si sono trasformate in autentiche
performance artistiche dal vivo, a volte con centinaia
di partecipanti!

Ho sviluppato questi momenti di creazione collettiva pensando
all'arte come mezzo, come gioco, e non come fine. Da sempre
mi rifiuto di imporre l'esercizio del « bel disegno ».
Intuito e istinto guidano i bambini nell'atto creativo,
ed è proprio questa loro facoltà naturale di creare
ad avermi ispirato.

Nei miei laboratori, li aiuto a esprimersi liberamente incanalando
la loro immaginazione. Mentre gioco con loro, accelerando
il ritmo o dando una lista di consegne vaghe, i bambini finiscono
per dimenticare i loro complessi e le loro inibizioni.

L'energia collettiva e la dinamica di gruppo sono di per sé
un risultato. In un laboratorio con molti partecipanti,
ogni bambino, spinto dall'energia che si viene a formare,
supera i propri limiti per realizzare cose nuove. L'idea è aprire
uno spazio di libertà, lasciarsi portare da un'improvvisazione
comune che autorizza anche l'incidente di percorso o l'eccesso.
Realizziamo un'opera comune condividendo un momento unico.

In quest'esperienza, chi conduce il gioco ha un ruolo determinante.
Direttore d'orchestra, coreografo, allenatore, deve sapere
dove va e guidare i bambini, consentendo loro di lasciarsi andare...

Il suo compito è incoraggiare, stimolare, impostare il ritmo e mantenere una tensione che culmina in una creazione tanto più soddisfacente quanto più inattesa. Ma bisogna anche essere in grado di fermare lo slancio dei bambini al momento opportuno, per evitare l'effetto « poltiglia », quel miscuglio che confonde forme e colori. Condurre il gioco significa dunque andare in giro, attirare l'attenzione su una zona vuota, eliminare un foglio troppo pieno, aiutare i bambini a trovare un equilibrio.

Nei miei laboratori non esiste il « fatto bene » o il « fatto male ». Un'indicazione ignorata, un barattolo di pittura rovesciato, anche (soprattutto?) una macchia involontaria possono essere una gradita sorpresa.

Ricordate: l'energia creativa è sempre più forte del controllo.

QUALCHE CONSIGLIO

Prima di iniziare, ecco i miei consigli.

CONDURRE IL GIOCO

Fatevi sentire! Volete una dritta? Fabbricatevi un cono di carta spessa, che potrete anche decorare. Ecco fatto un altoparlante! Le consegne sono spesso volutamente vaghe, per lasciare libertà ai bambini e per dare a voi, che conducete il gioco, la possibilità di creare le vostre varianti.
A proposito, sarei felice di conoscerle, queste nuove idee!

IL MATERIALE

Dovete preparare i laboratori in anticipo, per evitare i tempi morti.

Colori

Io preferisco le tempere dai toni accesi. Evitate le tinte scure, specie il marrone che rischia di « ammazzare » gli altri colori. Si può usare anche il nero, ma in modo dissociato (per esempio all'inizio o alla fine di un laboratorio). ● ● ●

Quando preparate la pittura, riempite un barattolo (o un bicchiere di plastica) fino a un terzo a persona. Meglio tenersi pronti a ricaricare i barattoli invece di riempirli troppo.
Ogni bambino deve avere il suo barattolo e il suo pennello.

È importante che capiscano di doverli tenere raggruppati senza mai mischiarli. Come vi ho detto, far pennellare mi piace tanto, ma attenti agli schizzi! Prevedete un abbigliamento adeguato per tutti. Per questi laboratori si possono usare anche pennarelli, matite, pastelli...

Carta

L'ideale è usare grandi rotoli di carta bianca (meglio se larga e spessa). In alternativa, carta da pacchi o altro del genere, anche di colore nero. In uno spazio ridotto, optate per dei fogli sparsi. Fissate i rotoli al suolo con il nastro adesivo perché non si spostino, oppure, all'aperto, usate dei sassi per evitare che volino via! In un interno, conviene stendere dei teli per non sporcare il pavimento.

-----→ LO SPAZIO

Verificate che lo spazio sia adeguato al numero dei partecipanti, perché è indispensabile poter circolare comodamente in mezzo e attorno ai fogli. Se invece è insufficiente, sappiate che quasi tutti i laboratori si possono realizzare anche stando seduti a un tavolo.

LA MUSICA

Quando un laboratorio è avviato, e i primi momenti di esitazione sono superati, consiglio di introdurre una musica con molto ritmo o anche della musica dal vivo, per concentrare l'energia collettiva e dare un aspetto festoso, spettacolare, al laboratorio.

I PARTECIPANTI

Non occorre avere un'età o una qualche competenza per disegnare un occhio, una casa, una riga, un cerchio: questi laboratori sono per tutti! Li ho organizzati nei luoghi più diversi: in un asilo, sulla piazza del mercato, in un museo, in un cantiere, nel cortile di una scuola e in una stazione... Per tutti i laboratori il numero dei partecipanti varia da 4 a 400, dipende solo dallo spazio.

Che abbiate una classe di studenti, di scolari o di bambini della scuola materna, o magari un gruppo di adulti, che organizziate una festa di compleanno o desideriate dipingere un muro in maniera festosa... divertitevi, seguitemi e inventate! Testate una prima volta, testate di nuovo, osservate, adattate, sperimentate... E soprattutto, cercate: troverete sempre qualcosa d'inedito da proporre!

7

iL PRATO FIORITO

Di sicuro il laboratorio
che ho realizzato più volte,
con partecipanti di tutte le età,
dai più piccoli agli adulti!
È sempre un successo, perché ogni
macchia o riga tracciata a caso
si trasforma e diventa utile,
bella e allegra.

PREPARAZIONE

Per questo laboratorio, usate della pittura
di diversi colori. Disponete a terra dei rotoli
di carta grandi, lasciando abbastanza spazio
per circolare. I bambini si siedono lungo i fogli,
con un barattolo di pittura davanti e un pennello
in mano. Eventualmente, preparate della musica
per la seconda parte del laboratorio.

iL LABORATORIO
PRIMA PARTE

**Pronti, attenti... via! Vorrei vedere un punto
piccolissimo.**

> Subito dopo, un po' bruscamente:

Stop! Cambiate posto.

> Seduti comodamente, a volte i bambini
> sono riluttanti a lasciare il loro posto.

Vorrei vedere un punto un <u>po' più grande</u>.

Cambiate posto.

**Vorrei vedere un punto ancora più grande.
Non disegnatelo proprio sotto il vostro naso!
C'è tanto spazio, usatelo tutto!**

Cambiate posto.

**E adesso, vorrei vedere un punto più grande...
Molto più grande, <u>molto più lontano</u>.**

> Gradualmente si instaura un ritmo
> tra le consegne enunciate e i movimenti
> del corpo. Mantenete una cadenza vivace!

E adesso, vorrei vedere un cerchio.

> I bambini continuano a cambiare posto
> tra un'indicazione e l'altra.

Un cerchio più grande.

Un altro cerchio, ancora più grande.

Attenzione, siete pronti?
Vorrei vedere il cerchio più grande del mondo!

I colori cominciano a mescolarsi...

Oh, che bello... Forse è un po' troppo bello!

E poi, accelerando il ritmo:

Tutti in piedi! Prendete il pennello, tenetelo
sospeso e... lasciatelo cadere sul foglio!

Subito dopo:

Cambiate posto...
Rifatelo, per l'ultima volta.

(L'ultima davvero, altrimenti
il laboratorio degenera
in lancio di pennelli!)

Ora ascoltate attentamente...
andremo più veloci!

Il ritmo delle consegne incalza.
(Non dimenticate di far cambiare
posto ogni volta.)

Voglio vedere:
dei punti su un punto,
dei punti in un cerchio,
dei punti attorno a un cerchio,
dei punti su un cerchio,
un cerchio attorno a una macchia,
un cerchio attorno a un cerchio.

Lo spazio si riempie a poco a poco.
S'instaura un ritmo e una coreografia
prende forma.
Continuo a dare le consegne (variazioni
sui punti e sui cerchi), finché il disegno

è pieno, ma rimane ancora un po' di spazio
per proseguire. In quel momento, dico:

Attenzione! Fermatevi e osservate.
Il disegno è da maneggiare con cura.

Bene, vi lascio 30 secondi. Guardate attentamente
e aggiungete un elemento là dove pensate
sia meglio: un punto, un cerchio, una macchia,
magari una spirale.

Stop! In piedi! Con i punti e i cerchi avete
FINITO!

SECONDA PARTE

In genere i bambini vorrebbero che il gioco
non finisse mai, ma per la seconda parte
dovete invitarli a osservare.

Ora trasformiamo questo disegno di punti,
cerchi e macchie in... un prato fiorito!

Ascoltatemi bene. Per creare il prato fiorito,
guardate i vostri disegni: i fiori ci sono già!
Basta sceglierne uno e disegnare uno stelo
e una foglia.

E faccio un esempio.

Incominciate a cercare un fiore grande,
aggiungete quello che volete dove volete e...
adesso tocca a voi!

Per questa fase del laboratorio trovo adatto
un accompagnamento musicale: con un ritmo
vivace all'inizio, mentre le macchie
si trasformano in fiori, più tranquillo
verso la fine.

Passo a vedere i bambini, li incoraggio,
trovo uno spazio per ciascuno, mostro loro
un esempio.

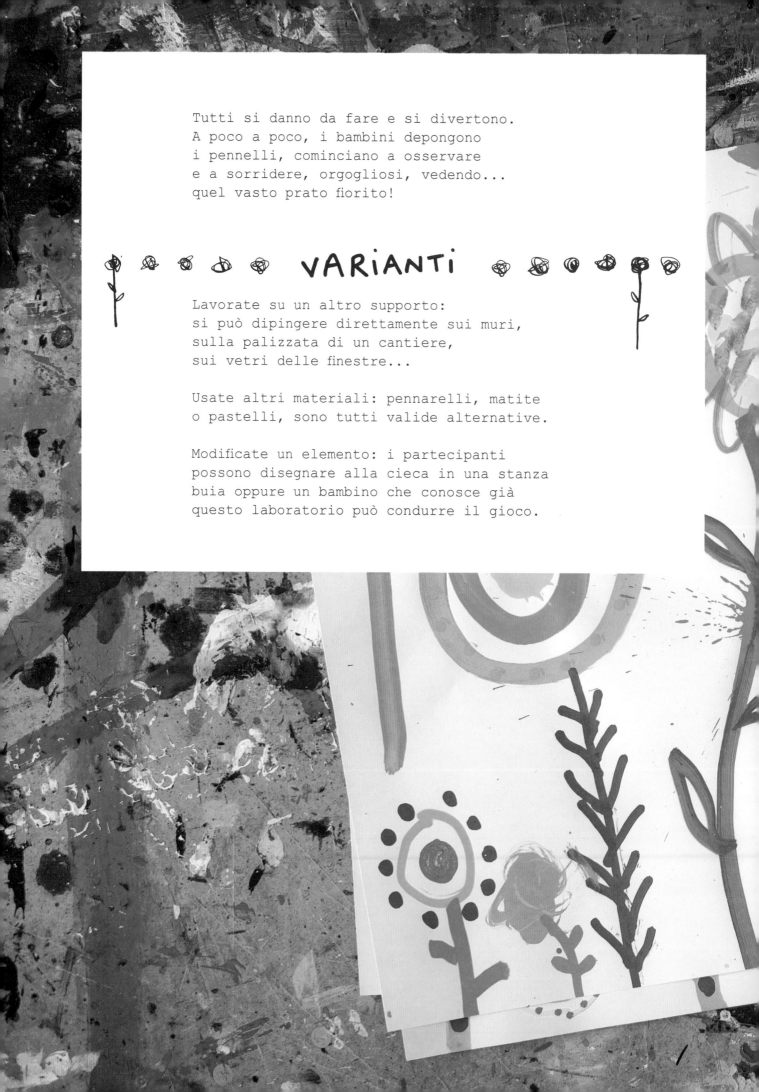

Tutti si danno da fare e si divertono.
A poco a poco, i bambini depongono
i pennelli, cominciano a osservare
e a sorridere, orgogliosi, vedendo...
quel vasto prato fiorito!

VARIANTI

Lavorate su un altro supporto:
si può dipingere direttamente sui muri,
sulla palizzata di un cantiere,
sui vetri delle finestre...

Usate altri materiali: pennarelli, matite
o pastelli, sono tutti valide alternative.

Modificate un elemento: i partecipanti
possono disegnare alla cieca in una stanza
buia oppure un bambino che conosce già
questo laboratorio può condurre il gioco.

iL MAXi iNGORGO

È l'attività ideale da svolgere
in un parco giochi, in una giornata
di sole... Eccitati all'idea
di « guidare » su un foglio
con un pennello, i bambini tracciano
traiettorie piene di energia che
serviranno poi a creare animate
scene di città.

PREPARAZIONE

Stendete a terra dei grandi rotoli di carta
che si intersechino formando degli incroci.
Si deve poter circolare attorno e in mezzo
ai fogli. Disseminate il percorso di ostacoli:
CD, coni, sassi, bastoni, bacinelle, bicchieri
di plastica, scatole, libri, scarpe...
Scegliete tante forme, perché ciascun oggetto
lascerà un'impronta sul foglio quando
lo sposterete. Ogni bambino deve avere
un bicchiere di pittura e un pennello;
meglio usare una vasta gamma di colori.

# IL LABORATORIO

PRIMA PARTE

**Intingete il pennello nella pittura e posatelo
dove volete sul foglio.**

**Immaginate che il pennello sia un'automobile:
state partendo per un viaggio. Fate scivolare
il pennello sul foglio evitando gli ostacoli
(niente pittura sugli ostacoli!), e...
tenetevi pronti... si parte!**

Buon viaggio!

Esortate i partecipanti a spostarsi
il più possibile, ad andare più lontano.

**Ehi, dove stai andando? Continui a girare
in tondo! Dài, vai avanti! Il mondo è grande!**

Traiettorie e bambini si accalcano
e si incrociano allegramente.
Alcuni procedono per la stessa strada
fino in fondo, altri ne iniziano di nuove.
Le righe sono sempre più numerose...
Quando il disegno è quasi pieno,
faccio sollevare i pennelli.

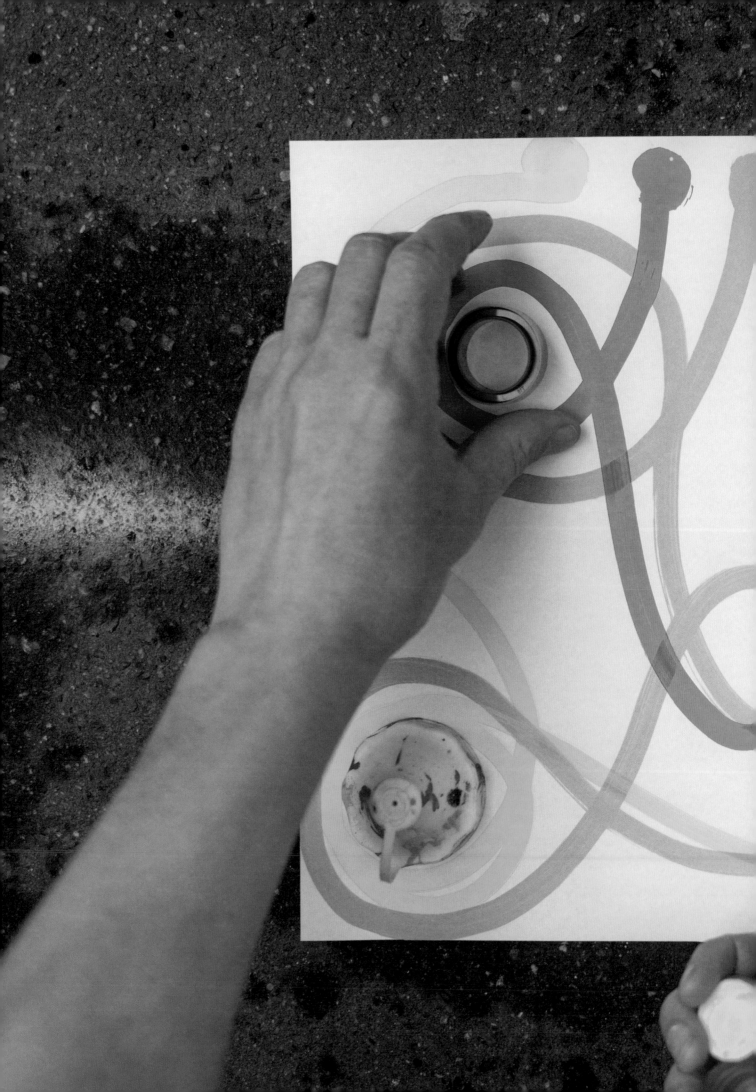

Stop, fine della prima parte!

Tolgo di mezzo gli ostacoli.

**Le righe che avete tracciato sono strade.
Ora che abbiamo le strade, immaginiamo
il resto della città.**

Per aiutarli, offro qualche indizio:

Ci occorrono macchine, pedoni, case, alberi, bar...

Il foglio acquista nuova vita. Passo in mezzo
ai partecipanti, guardo, incoraggio, stimolo,
finché il disegno non sfugge a ogni controllo:
si formano ingorghi mostruosi e si sviluppano
foreste tentacolari.

Per non sovraccaricare il disegno e renderlo
indecifrabile, i bambini alzano il pennello
uno dopo l'altro.

Gli ostacoli sono la chiave dell'attività:
gli spazi bianchi lasciati ora si popolano
di omini stilizzati, automobili, alberi ecc.

L'energia dispiegata e il piacere di viaggiare
con il pennello sono molto più interessanti
di un « bel » risultato; detto questo,
il laboratorio non è niente male anche
sotto questo aspetto!

VARIANTI

Scegliete un altro tema: per esempio, iniziate
usando soltanto il blu e il verde per creare
un bell'oceano. In seguito provate a introdurre
altri colori per disegnare i pesci, le barche
e i bagnanti. Sono sicuro che non vi mancano
le idee per altri temi!

iL DADO MAGiCO

Ecco un divertente gioco con i dadi per creare mostri irresistibili, teneri e spassosi. I bambini adorano vedere il loro personaggio prendere forma via via che si sviluppa il gioco!

PREPARAZIONE

Ogni bambino deve avere un foglio su cui
è già stata disegnata una forma grande:
rotonda, quadrata, ovale, blop... Possibilmente,
procuratevi tanti dadi quanti sono i partecipanti.
Ma si può fare anche con un solo dado!
Se i bambini hanno meno di tre anni, usate
un dado grosso o scrivete i numeri su dei fogli
che metterete in un cappello. Tutti lavorano
fianco a fianco, il pennello in mano, ciascuno con
un barattolo di colore diverso o dei pennarelli.

iL LABORATORiO

PRIMA PARTE

**Lanciate il dado una prima volta:
la cifra ottenuta corrisponde al numero
di occhi che dovrete disegnare nella forma.**

   L'ideale sarebbe che i bambini
   si scambiassero i fogli a ogni lancio
   di dado, ma se insistono per tenere
   ciascuno il proprio disegno, potete
   proporre uno scambio di colori con il vicino.

**Lanciate il dado una seconda volta:
adesso disegnate il numero di bocche indicato.**

Lanciate di nuovo! Questa volta, è per i nasi.

E adesso, lanciate per il numero di braccia!

Tocca alle gambe stavolta!

Pronti? Rilanciamo per le orecchie?

**E per finire, i capelli! Ecco le mie proposte:
1 e 2, « un po' di capelli »; 3 e 4, « normale »;
5 e 6, « tanti capelli ».**

Ed ecco il vostro mostro!

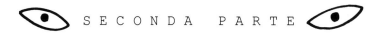

**Con il dado abbiamo finito, ma il gioco continua:
potete aggiungere un ambiente, dare un nome
al vostro personaggio, colorarlo e anche ridisegnarlo.**

Dopo aver creato un personaggio, i bambini
inventano il mondo che lo circonda
e la sua storia. Dove si trova?
Chi sono la sua famiglia e i suoi amici?
Dove vive? Quale automobile guida?

La consegna « Disegnate un personaggio »
può intimorire, ma se fa parte di un gioco,
aiuta i partecipanti a superare le inibizioni.
Spesso sono proprio le combinazioni inaspettate
a sortire i risultati più riusciti!

VARIANTI

Unite i disegni facendo realizzare tutti
i mostri su un unico grande rotolo di carta.
Una volta terminati i personaggi, i bambini
dipingeranno il mondo che circonda questo
gruppo di mostri.

Modificate le regole del gioco: attribuite
una forma a ciascun numero. (1:) occhi;
(2:) bocca; (3:) naso; (4:) orecchie; (5:) braccia;
(6:) gambe. Continuate a lanciare il dado finché
il personaggio non è costituito da tutte
le forme. Oppure, giocate con due, tre
o sei dadi alla volta (perché no?): potrete
ottenere il vostro mostro con un solo lancio!

Lavorate tutti insieme: il gruppo crea un solo
mostro gigantesco, e ogni bambino aggiunge
la forma corrispondente al numero lanciato.

E se trovate un'altra regola, passatemela!

PITTURA in MUSICA

L'atmosfera di questo laboratorio
vi riempirà di energia positiva.
Trascinati dalla musica, i bambini
scarabocchiano, fanno macchie
e schizzi. Si crea una dinamica
di gruppo incredibile e i risultati
ottenuti sono sorprendenti. Terminato
il laboratorio, con pochi, facili
passaggi le forme astratte diventano
disegni figurativi, come per magia!

PREPARAZIONE

L'ideale è preparare una playlist di venti minuti circa, composta da tracce molto brevi: un minuto di musica ciascuna. Possono essere melodiche, incalzanti, delicate, pacate, rapide, ritmate o scandite da rumori strani. Potete anche creare la vostra musica in loco, con il materiale che riuscite a reperire o con dei musicisti, suonare soltanto con un paio di bacchette e delle maracas, oppure usare la vostra voce. Per la seconda parte, prevedete un continuo di musica, più soffuso.

Stendete a terra dei grandi fogli colorati per riempire lo spazio. Predisponete un'ampia scelta di colori per le pitture. Evitate il nero e il marrone per la prima parte, ma reinseriteli per la seconda.

Ogni bambino deve tenersi pronto con il suo pennello e il suo barattolo di pittura.

iL LABORATORIO

P R I M A   P A R T E

**Non appena udite un suono,
reagite con una pennellata sul foglio.
Quando la musica cambia, cambiate posto.**

> Se i bambini sono seduti a un tavolo
> per mancanza di spazio, possono scambiare
> il foglio o il pennello con il loro vicino
> quando la musica s'interrompe.

> All'inizio, può capitare che i partecipanti
> siano reticenti, timidi o sconcertati.
> C'è il rischio che rimangano senza
> far niente per diversi minuti di seguito.
> Talvolta, bisogna insistere e incoraggiarli...

**Se vi aiuta, provate a chiudere gli occhi
e reagire ai suoni. Lasciatevi trasportare!**

A poco a poco, i bambini assimilano la musica
e si instaura il ritmo del gruppo.

Passo in mezzo a loro, li guardo, prendo
i fogli già saturi di righe e di colori,
ne tengo da parte alcuni per dopo
e ridistribuisco dei nuovi fogli.

Stop! Fermiamoci e osserviamo. Cos'è successo?

Tutti osservano i segni, le righe e le macchie.

Avete creato degli sfondi!

S E C O N D A   P A R T E

È il momento di cambiare la colonna sonora
e passare a una musica più rilassata.

**E adesso prendiamo questi sfondi e trasformiamoli
in disegni!**

Proponete ai bambini di utilizzare dei simboli
o dei disegni. Questi elementi aiutano
a convertire rapidamente un disegno
in paesaggio.

Per esempio, aggiungendo la forma di una barca
molto semplice a uno sfondo blu movimentato
si ottiene un vascello in mezzo
alla tempesta. Automobili, alberi
e omini stilizzati sono forme facili
da disegnare e associate agli sfondi
diventano ingorghi giganteschi,
foreste misteriose o figure danzanti.

Per la seconda parte, spesso il nero si rivela
ideale. Se si ricorre a troppi colori,
i disegni risultano subito saturi o « torbidi »:
la pittura nera o l'inchiostro di china
conferiscono invece precisione. Si può anche
suggerire ai partecipanti di usare il pennello
dalla parte del manico per incidere
le forme nello spessore della pittura.

iL GiOCO DEL RITRATTO

Amo i simboli e i pittogrammi.
Sono scorciatoie visive che comunicano
un messaggio chiaro e sono facili
da disegnare. Questo laboratorio ricorre
a numerosi simboli per rappresentare
graficamente il carattere di qualcuno.
La prima volta che l'ho proposto,
ho realizzato il ritratto dello
scrittore e animatore inglese
Michael Rosen: eccolo proprio
in questa pagina.

PREPARAZIONE

Stendete dei rotoli di carta sul pavimento
o appendete alle pareti dei fogli grandi
(è un disegno collettivo) e preparate dei
barattoli di pittura, pennarelli e matite.

Scegliete la persona o il personaggio da ritrarre.
Dev'essere qualcuno ben noto a tutti i bambini:
un insegnante, il personaggio di un libro
o di un film, il festeggiato, ecc. Compilate
la lista delle caratteristiche della
sua personalità e selezionate dei segni
o dei pittogrammi che potrebbero corrispondervi.

Ricordate che non si tratta di una rappresentazione
fisica, bensì grafica. Concentratevi sulla sua
personalità, le sue passioni, il suo lavoro,
la sua storia, ecc. Riflettete su tutte le idee
che potrebbero entrare nel disegno.

iL LABORATORIO

Per incentivare i bambini, presentate
il personaggio che avete in mente.
Mentre parlate, potete anche cominciare
a disegnare per rassicurarli e motivarli.

Bene, è simpatico: disegneremo un sorriso.

Dai, cambiamo posto?

I bambini devono cambiare posto
dopo ogni consegna.

È un chiacchierone: tracciate qualche lettera.
Fate cambiare posto.
È intelligente? Be', non so...
Se mettessimo un punto di domanda?
Nuovo cambio di posto.
È una star: disegnate una stella.
È disordinato! Cosa potremmo disegnare?
Uno scarabocchio?

È caloroso: cosa ne dite di un sole?
È un po' distratto: gli occhi, facciamoglieli
chiusi.
In realtà, non è poi così simpatico:
tirate una riga sulla bocca sorridente.
In compenso, è sempre allegro: ci vorrebbe...
un bel lampo!
Ama la musica: disegnate una nota.
È un re: facciamo una corona.
È un poeta: una luna ci starebbe bene.
Gli piace giocare: lanciate il pennello sul foglio!
Tutto sommato, è davvero simpatico: ridisegnate
un bel sorriso grande.
È timido: facciamo un puntino,
dev'essere minuscolo.
È davvero adorabile: disegneremo un cuore.

Via via che il foglio si riempie,
otterrete un insolito ritratto collettivo:
un disegno magnifico, che si presta a diverse
interpretazioni e ha tanti significati!

VVVVVVARIANTiiiiiii

Pensate ad altri simboli: ora sapete come
si costruisce un ritratto e potete tradurre
voi stessi le parole in immagini, invitando
i bambini a crearsi il proprio vocabolario
pittografico. Ecco qualche suggerimento in più:

entusiasta (un fuoco d'artificio)
ordinato (un quadrato)
intelligente (una spirale)
strano (una forma bizzarra)
noioso (una linea retta, « noiosa »)

IL RITRATTO DI UNA PAROLA

Oltre ai simboli, questa variante include
alcune lettere. Incomincio scegliendo
una parola che tengo per me, poi procedo
allo svolgimento del gioco, dando consegne
precise ma senza rivelare la parola segreta
(lo farò soltanto alla fine del gioco).

I bambini riempiono il foglio di forme
e lettere, una dopo l'altra, seguendo
le mie indicazioni, finché la parola
non appare come per magia!

Questa variante è da preferire quando
si desidera un'attività tranquilla
e rilassata. I bambini si attengono
a una serie di consegne che richiedono
concentrazione e precisione.

Ecco un esempio di come potrebbe svolgersi
il gioco per far indovinare la parola
« Hello ».

Disegnate la prima lettera del vostro nome.

Cambiate posto.

Disegnate la seconda lettera del vostro cognome.

Da questo momento in poi, le consegne date
consentiranno di formare una parola specifica.
È dunque essenziale non svelare il mistero
mettendo volutamente i bambini su una falsa
pista (per esempio, chiedendo loro
di tracciare lettere che non fanno parte
di quella parola, oppure segni di interpunzione).

Disegnate una H.

Fate cambiare posto dopo ogni consegna.

Disegnate un sorriso...

Un punto esclamativo...

La lettera che volete!

Disegnate una E accanto a una H...

Un sorriso...

Una L accanto a una E...

Un sole!

Ancora una L accanto a una L...

Un cerchio...

Una O accanto a una L...

Un altro punto esclamativo!

E tutt'a un tratto, la parola « Hello »
(o qualsiasi altra parola scelta)
appare in diversi punti del foglio.

Forse le lettere non saranno in ordine,
ma non ha nessuna importanza. È un gioco
molto divertente e il guazzabuglio
di lettere e segni è interessante
anche sotto l'aspetto grafico.

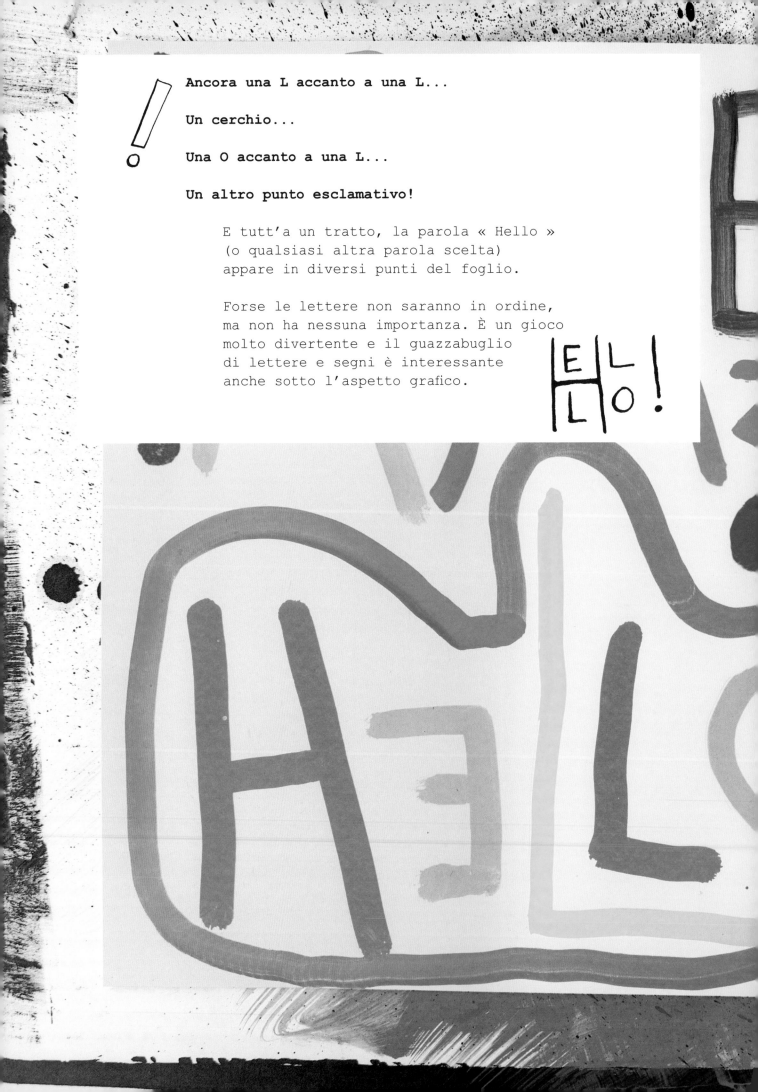

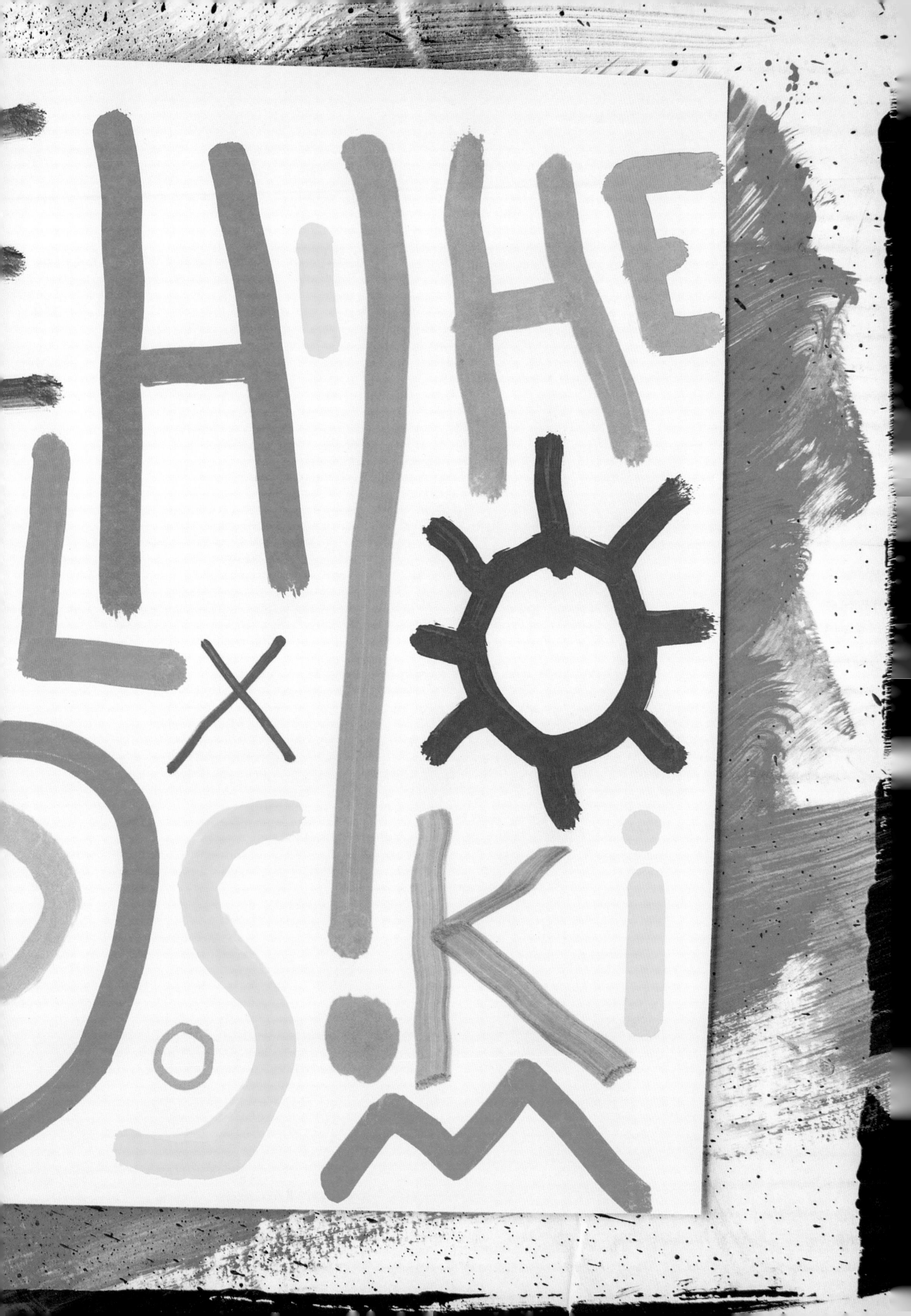

CHI È IL PIÙ VELOCE?

In questo laboratorio, i bambini devono disegnare e passare il foglio al loro vicino molto rapidamente, il che li costringe a improvvisare, essere spontanei e servirsi di scorciatoie visive. Durante il gioco, seleziono le proposte interessanti e oriento il gruppo verso un lavoro collettivo. Quest'attività mi piace molto, perché spesso dai segni casuali e dalle combinazioni insolite si ottengono i risultati migliori!

PREPARAZIONE

Il luogo ideale per questo laboratorio
è un'aula scolastica, perché potrete mettere banchi
e sedie tutti in fila, ma è possibile adattare
quest'attività anche a un altro luogo.

Vi serviranno molti fogli A4 e del nastro adesivo.
Collocate un foglio a ciascuna estremità della fila.
Ogni bambino deve avere delle matite o dei pennarelli.

iL LABORATORIO

**Fate circolare i primi due fogli,
disegnando una forma su ciascuno.
Devono essere due forme diverse.**

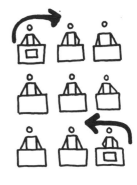

**Non appena vi arriva il foglio,
disegnate velocemente la vostra forma
e passatelo al vostro vicino.**

**Avete 22 secondi per far circolare
i fogli da un estremo all'altro della fila.**

Naturalmente potete adattare la durata
al numero di bambini e alle loro capacità.

Pronti? Via!

Quando i fogli arrivano all'estremità opposta,
li raccolgo e li commento fingendo di essere
arrabbiato: « Possibile che non sappiate
far altro che degli sgorbi? ». Con il nastro
adesivo, fisso i primi fogli alla lavagna
come promemoria.

**Chiudete gli occhi e pensate alla prossima forma
che volete disegnare su ciascuno dei due fogli.**

Questa volta avete 30 secondi. Via!

I fogli bianchi passano di mano in mano.

Non è detto che il risultato di questo secondo giro sia più convincente, ma di solito riesco a individuare un paio di forme interessanti: « **Ah, questa volta sì che ci siamo!** ». Le mostro a tutti e le cerchio oppure le disegno alla lavagna. Va da sé che è molto soggettivo: interpretate e lavorate di fantasia!

Niente male, sul serio, ma potete far meglio!

Coraggio, ricominciate! Avete 50 secondi.

A questo punto bisogna osservare con maggior precisione, segnalare i disegni che interagiscono tra loro e, quando una delle immagini crea un dialogo visivo con un'altra, farlo notare ai bambini. Per esempio, un albero con un sole al di sopra può essere l'abbozzo di un quadretto.

Lascio ogni volta un po' di tempo in più ai partecipanti perché s'instauri un gioco di corrispondenze visive. A questo scopo, chi conduce il gioco deve distribuire consigli o dare il suo parere e incoraggiare i bambini. Ogni volta, scelgo gli elementi che trovo più stimolanti e li mostro a tutti, perché possano riutilizzarli o trarne ispirazione...

Quando il gruppo possiede questo vocabolario comune e si è giunti a una composizione interessante, si può proporre ai bambini di riprodurla tutti insieme sotto forma di un disegno più grande realizzato con la pittura (per esempio un murale). Oppure, si può suggerire che ogni partecipante reinterpreti a modo suo la composizione comune.

Alla fine, dopo numerosi giri, i bambini avranno realizzato un disegno collettivo soddisfacente di cui saranno orgogliosi.

VARIANTI

Sempre all'insegna della rapidità, i partecipanti tracciano un segno più preciso (casa, onda, omino stilizzato ecc.) a ogni passaggio del foglio.

L'INCONTRO DI SUMO

Questo laboratorio inizia con una lotta
e termina con un'abbuffata.
Perché no? Il titolo dell'attività
è uno stratagemma per indurre
i bambini a concentrarsi sullo
svolgimento del gioco e a divertirsi
senza pensare al risultato: un piatto
colmo di disegni!

PREPARAZIONE

Stendete dei fogli piccoli, medi o grandi
sul pavimento. Su ciascuno, disegnate un grande
cerchio nero lasciando però un po' di spazio
attorno.

Ogni bambino dovrà disporre di un barattolo
di pittura (non nera per la prima parte)
e di un pennello. Fateli sedere a coppie,
uno di fronte all'altro, con il foglio in mezzo
e due colori diversi, uno per ciascuno.
Preparate la pittura nera per la seconda parte.

iL LABORATORIO

PRIMA PARTE

Avete mai visto un incontro di sumo?

Forse dovrete spiegare di cosa si tratta!

**Qui è un po' la stessa cosa: è una lotta
per far uscire il vostro avversario dal cerchio.
Buon divertimento!**

**Intingete il pennello nella pittura e posatelo
al centro del foglio. Quando darò il via,
usate il pennello per far uscire quello
del vostro avversario dal cerchio.
Tenete sempre il pennello sul foglio.**

Pronti? Primo giro. Via!

Il giro termina quando uno dei pennelli esce
dal cerchio. Aspetto che tutti abbiano finito,
poi chiedo ai bambini di scambiare pennello
e barattolo di pittura con il loro compagno.

Si ricomincia. Secondo giro. Via!

Solitamente, non occorre farlo più di due volte.

Adesso prepariamo un pasto! Avete davanti un piatto. Disegnerete una forchetta, un coltello e un bicchiere attorno a questo cerchio.

Cucineremo delle prelibatezze! Che cosa ci farete assaggiare? Osservate i colori nel vostro piatto e disegnate sopra per inventare il vostro pranzetto!

Da una semplice riga, da uno scarabocchio o da un punto possono scaturire pesci, cosce di pollo o insalate esotiche...

È preferibile fornire ai bambini un altro colore per far risaltare questi elementi: il nero è spesso un'ottima scelta.

Qualche pennellata ed ecco che i piatti si riempiono, e come sono appetitosi!

Avete ancora un po' di spazio: decorate la tovaglia! E non dimenticate di riempire il vostro bicchiere.

Infine, come chiamerete questo piatto squisito? Buon appetito!

VARIANTI

Realizzate una scultura: la prima parte (l'incontro di sumo) si può fare su piatti di carta. Poi si può prendere una tovaglia (una vera tovaglia di carta o dei fogli attaccati l'uno all'altro) e incollarvi sopra i piatti. Si aggiungono bicchieri e posate usa e getta... ed ecco un'allegra e gustosa scultura!

OPERAZIONE SiLHOUETTE

Lo scopo di questo laboratorio
è cambiare il nostro sguardo sulle
forme, modificando il punto di vista
e la prospettiva. Colorando zone
insolite di una sagoma molto grande,
si ottiene un affascinante ritratto
di gruppo, non solo divertente
e gratificante, ma anche facilmente
fruibile.

PREPARAZIONE

Disponete dei fogli grandi o dei rotoli
di carta sul pavimento o sulle pareti
(in questo caso, procuratevi sedie o sgabelli).

Prima di tutto preparate dei pennarelli a punta
larga, poi dei barattoli di pittura, delle matite
o dei pastelli da utilizzare in un secondo tempo.

iL LABORATORIO

PRIMA PARTE

Senza una parola, scelgo uno dei bambini,
lo faccio sdraiare sul foglio e traccio
il suo contorno con un pennarello.

Stupore tra il pubblico! Poi disegno un altro
partecipante, con le braccia e le gambe aperte,
oppure in una posizione di danza. Continuo
a disegnare altre sagome intrecciando
le linee e le forme. Dopo aver mostrato
ai bambini come si fa, li invito a imitarmi!

**Dai ragazzi, disegnate le sagome dei vostri
compagni!**

Poi, quando il disegno
sembra sufficientemente pieno...

SECONDA PARTE

E adesso, colorate gli intrecci tra le sagome.

I bambini prendono i loro barattoli
di pittura e si concentrano unicamente
sulle intersezioni. Dimenticando che cosa
rappresentano quelle sagome, trasformano
a poco a poco l'insieme mediante zone
di colore uniforme oppure con motivi

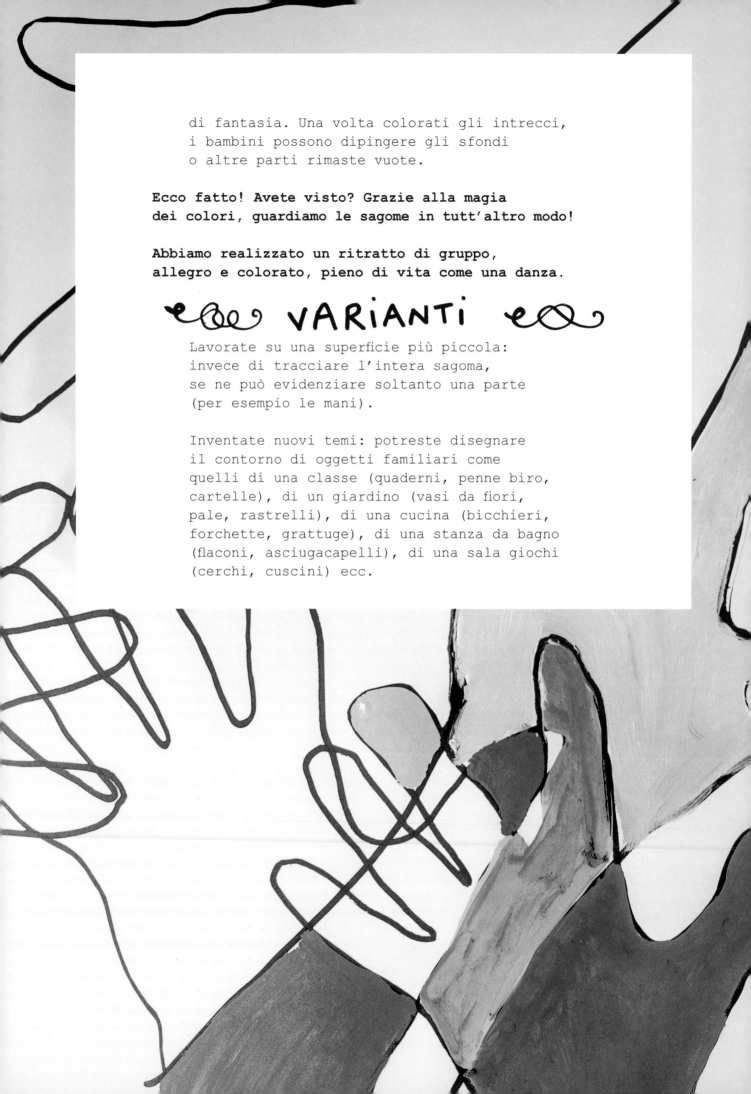

di fantasia. Una volta colorati gli intrecci,
i bambini possono dipingere gli sfondi
o altre parti rimaste vuote.

**Ecco fatto! Avete visto? Grazie alla magia
dei colori, guardiamo le sagome in tutt'altro modo!**

**Abbiamo realizzato un ritratto di gruppo,
allegro e colorato, pieno di vita come una danza.**

VARIANTI

Lavorate su una superficie più piccola:
invece di tracciare l'intera sagoma,
se ne può evidenziare soltanto una parte
(per esempio le mani).

Inventate nuovi temi: potreste disegnare
il contorno di oggetti familiari come
quelli di una classe (quaderni, penne biro,
cartelle), di un giardino (vasi da fiori,
pale, rastrelli), di una cucina (bicchieri,
forchette, grattuge), di una stanza da bagno
(flaconi, asciugacapelli), di una sala giochi
(cerchi, cuscini) ecc.

iL GRANDE BANCHETTO

Questo laboratorio mi mette sempre
una gran fame! Tutti insieme,
apparecchiamo la tavola per poi
aggiungere un tripudio di colori
ricorrendo a ogni genere di utensili
che si possono reperire in casa:
il risultato fa venire l'acquolina
in bocca!

PREPARAZIONE

Appendete un grande telo bianco (di carta
o di stoffa) sul muro, oppure dispiegatelo
sul pavimento per realizzare un grande disegno
collettivo. Assegnate a ogni bambino inchiostro
di china e pennelli, ma anche barattoli di pittura
di vari colori e altri pennelli a punta piatta.

Vi occorrerà anche una grossa cassa di utensili
in plastica di vario genere: coltelli, forchette,
stampi per torte, tubi di aspirina vuoti, pettini,
scacciamosche, spazzolini da denti... tutto ciò
che avete sotto mano e che si può intingere
nella pittura per poi lasciare delle impronte.

Per iniziare, ciascun bambino deve avere
un barattolo di inchiostro di china e un pennello.

iL LABORATORIO

PRIMA PARTE

C'è qualcuno che ha voglia di divorare un magnifico
pranzo? Bene, allora apparecchiamo la tavola,
tanto per cominciare. Prendete i pennelli
e intingeteli nell'inchiostro.

> Invito i bambini a spostarsi e a disegnare
> dei coperti qui e là per riempire la tavola.

Ricordatevi che per il grande banchetto occorrono:
piatti, forchette, cucchiai, bicchieri, caraffe,
portacandele, tovaglioli e vasi con fiori.

> Quando il foglio è pieno...

STOP
STOP, fermi tutti! Guardiamo che cosa abbiamo fatto.

> Mentre la tovaglia si asciuga, i bambini
> fanno una pausa. Ne approfitto per tirar
> fuori gli utensili di plastica e i barattoli
> di pittura.

E adesso, cosa si mangia? Riempiamo i piatti!

> Esorto i bambini a utilizzare gli oggetti
> di plastica e a lavorare di fantasia.
> Intingiamo i tubi di aspirina nella pittura
> per tracciare dei tondi sui piatti;
> lo scacciamosche forma un reticolato quando
> lo si batte sul piatto; il pettine traccia
> dei solchi. Mantengo un ritmo tranquillo
> e sereno perché i diversi elementi
> non si mescolino nei piatti. Se i colori
> si ammassano, propongo ai bambini l'incisione:
> tracciare delle forme nella pittura
> con uno strumento appuntito (un coltello
> di plastica, o anche il manico del pennello).

> Poi, quando i piatti sono pieni...

Cosa si beve?
Bisognerebbe riempire le caraffe...
È possibile avere le bollicine nei bicchieri?

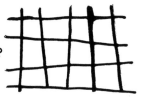

E adesso, decoriamo la tovaglia.

> I bambini riprendono i pennelli e i barattoli
> di pittura per disegnare macchie, croci,
> punti... a meno che non vi accordiate
> su un unico motivo.

Bene, c'è tutto?
Guardate che sontuoso banchetto, quanti piatti
stracolmi di cibi colorati e appetitosi!

LA FABBRICA DEI DISEGNI

In questo laboratorio, lancerete
una serie di consegne brevi per creare
una fabbrica d'arte dove ferve
il lavoro in un clima di sana euforia.
Tra consegne e disegni che volano
ovunque, i piccoli « operai »
non sapranno più da che parte
girarsi in questa creativa catena
di montaggio. Alla fine del laboratorio,
vi ritroverete con un gran numero
di opere d'arte spontanee, e potrete
organizzare un'autentica mostra!

PREPARAZIONE

Questo laboratorio richiede abbastanza spazio perché dei gruppetti di bambini (da due a quattro) possano lavorare gli uni accanto agli altri. Ogni gruppo ha bisogno di un foglio di carta (o di un altro supporto, vedi sotto le Varianti), di alcuni barattoli di pittura e pennelli, o di matite colorate.

Vi consiglio di mettere una musica coinvolgente.

L'intento è generare spontaneità dando ai gruppi, uno alla volta, consegne brevi e volutamente vaghe, per lasciare ai bambini un margine di interpretazione. Non è il rispetto della consegna che conta, ma l'energia liberata dal gruppo. Quando i bambini domandano: « È così che si fa? », aggiungete altre indicazioni e continuate in quel modo!

iL LABORATORIO

Io sono il caposquadra, giro per la fabbrica designando i gruppi e dando loro istruzioni.

Un punto, un altro, dei punti ovunque. E tanti colori!

oppure

Voglio dei cerchi attorno a dei cerchi, attorno a dei cerchi. Poi: voglio dei cerchi nei cerchi.

oppure

Delle strisce, delle linee, linee che s'intrecciano.

oppure

Voglio uno scarabocchio gigantesco.

oppure

Che cosa vorresti disegnare? Un albero? D'accordo, ma immagina di essere dentro quest'albero.

oppure

Disegnate un cerchio, poi un altro e un altro ancora.
Ora lanciate il pennello come se fosse una freccetta.

 oppure

Disegnate una nuvola. Poi: vorrei una pioggia di colori.

oppure

Tracciate i contorni degli oggetti che vi darò e pitturateli.

oppure

Fate dei punti. Collegate i punti con dei tratti.

oppure

Forme, forme, un sacco di forme diverse!
E che non ce ne siano due identiche, chiaro?

oppure

Disegnate delle nuvole di tutti i colori.

oppure

Tu disegni, e tu invece scarabocchi sul suo disegno.

oppure

Tu disegni, e tu invece sposti il foglio mentre lui disegna.

oppure

Disegnate con gli occhi chiusi.

oppure

Inclinate il foglio e fate gocciolare la pittura.

 oppure

Fate una macchia sul foglio, poi incollatela rovesciandola
su un altro foglio prima che la pittura si asciughi.

oppure

**Aggiungete delle lettere, dei numeri,
dei punti esclamativi.**

E quando avrete finito, tornate da me!

Quando tornano, elargisco nuove istruzioni
per completare il disegno, arricchirlo,
renderlo più preciso.

**Aggiungete dei punti sui punti, dei tratti
o delle linee.**

!

Potete riprendere alcune consegne date
in altri laboratori, oppure inventarne
di nuove. Ci sono molte possibilità,
è soltanto questione di entusiasmo,
di spontaneità e di energia!

Quando la pagina è piena, la sostituisco con
un'altra bianca. I bambini vengono da me oppure
io mi sposto perché loro continuino a muoversi,
senza mai perdere l'attenzione né l'entusiasmo;
lancio delle consegne e distribuisco dei fogli.
I bambini devono essere concentrati solo
sul momento presente. Risultato? Un alveare
in cui ronzano tante piccole api operaie
che hanno condiviso un bel momento e realizzato
un gran numero di disegni intuitivi.

**Ottimo lavoro, signore e signori operai,
oggi avete prodotto dei disegni fantastici.
Ma adesso chiudiamo!**

VARIANTI

Realizzate una mostra: ho proposto spesso questo
laboratorio allo scopo di farne un'esposizione
o una scultura collettiva. Trasformare
un laboratorio in una mostra è un progetto
ambizioso che richiede esperienza e tempo
(occorrono diversi giorni o anche dei mesi
per allestirla), ma collocare queste creazioni
in un luogo dove tutti le vedano significa
attribuire loro una certa durata e una dimensione
museale, molto gratificante per i bambini.

Se avete in mente questo progetto, vi conviene
lavorare su dei supporti piuttosto rigidi:
cartone, scatoloni per i traslochi,
o anche del compensato. I disegni possono
così essere esposti ovunque: sul pavimento,
sui muri, e anche all'esterno.

Per esporre questi supporti, bisogna approntare
un sistema di tacche che li tengano tutti
insieme (realizzate due tacche su ciascun
lato del supporto, nel medesimo punto su tutti
i supporti, lasciando la stessa distanza
tra una tacca e l'altra).

Prima di cominciare, è bene preparare i supporti
stendendo una mano di fondo in maniera omogenea
(con semplici strati uniformi di colori vivaci,
un colore su ciascun lato).

Guardate le foto di queste mostre alla fine
del libro: sicuramente vi verranno delle idee!

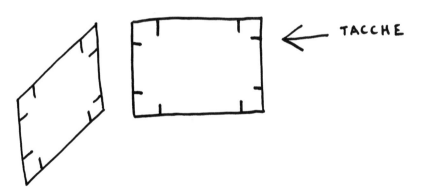

TACCHE

IL GRANDE SPETTACOLO

Più che un laboratorio, questo grande spettacolo è un'autentica performance! I bambini costruiscono un disegno eseguendo una coreografia che hanno già provato, e svelano il loro capolavoro nel gran finale. Fantastico!

PREPARAZIONE

La superficie di lavoro deve essere verticale:
un muro, dei fogli di carta appesi, dei rotoli
di carta trasparente (per esempio pellicola
di plastica per coprire i libri), la palizzata
di un cantiere, una vetrina...

L'intento in questo caso è preparare una
coreoGRAFIA, un gioco di complicità in cui
i bambini, diventati attori, ballerini e pittori,
applicheranno, in pubblico, dei gesti che hanno
imparato, perfezionato e ripetuto.

Questo laboratorio necessita di molto spazio per
eseguire le evoluzioni. E di musica, naturalmente!
Questi pittori sono anche ballerini!

Ogni bambino sa esattamente come deve comportarsi,
avendo provato già più volte la coreografia.
Ecco un esempio del modo in cui lo spettacolo
potrebbe svolgersi.

iL LABORATORIO

Non appena gli spettatori sono ai loro posti,
via con la musica!

I pittori-danzatori arrivano e disegnano
un punto o un piccolo cerchio. In un altro
luogo, formano un quadrato o un rettangolo.

In un altro luogo ancora, disegnano
un tratto spesso; più lontano, un altro
quadrato; ecco un altro tondo, e laggiù,
un tratto spesso. Tutti questi disegni
possono essere collocati e orientati
dove e come vogliono i bambini.

Poi, i ballerini tracciano un piccolo cerchio
oppure un punto al di sopra o al di sotto
di uno dei quadrati. Dopo ancora, disegnano
un quadrato sopra o sotto un cerchio isolato.

Infine, aggiungono dei tratti spessi
che partono dai quattro angoli dei quadrati.

Ed ecco apparire come per magia una serie
di danzatori.

Sempre al ritmo della musica, i bambini
disegnano delle forme che interagiscono
e si divertono con gli omini stilizzati:
tratti che indicano il movimento, curve ecc.

Progressivamente, il pubblico rimane
sorpreso nel vedere lo spettacolo
che prende forma, rivelando un quadro
dinamico, pieno di energia e di movimenti.

Dipende tutto dalla rappresentazione:
i bambini sono elettrizzati perché si muovono
seguendo la musica e realizzano un disegno
in diretta davanti agli spettatori.

Le sagome dei danzatori sono facili da
montare e disegnare, e immediatamente
riconoscibili dal pubblico.

Ora sapete come funziona questo laboratorio:
è tutta questione di chi conduce il gioco
e del gruppo che decide come eseguire
la coreografia e ripetere lo spettacolo.

(((((VARiANTi)))))

Penso che la maggior parte dei laboratori
proposti in questo libro possano declinarsi
in spettacolo, trasferendo la loro logica
nella coreografia. Per esempio, nel *Gioco
del ritratto* si può chiedere ai pittori-
ballerini di disegnare, uno alla volta,
in ordine sparso, dei segni e delle lettere
che acquisiranno un senso soltanto
alla fine della coreografia. Analogamente,
i laboratori del *Prato fiorito*, del *Dado
magico*, dell'*Incontro di sumo* o del *Maxi
ingorgo* potrebbero offrire degli scenari
visivi particolarmente riusciti, una volta
assimilati, integrati e ripetuti dal gruppo.

E PER FINIRE...

Quando un laboratorio è terminato e rimangono tutti
quei barattoli di pittura pieni soltanto a metà,
mi dico che bisognerebbe pur farne qualcosa...

Capovolgo un barattolo e ne rovescio il contenuto
sul foglio con un colpo secco del palmo della mano.
Stendo di qua e di là il colore...
Appaiono grandi macchie, con le quali
si possono disegnare dei mostri, dei fiori o...

Che cosa ne pensate? Adesso tocca a voi!

Hervé Tullet: il genio dell'infanzia ritrovata

di Sophie Van der Linden

Con più di 70 pubblicazioni al suo attivo, che associano con fantasia narrazione, arte e gioco, Hervé Tullet cattura da sempre un giovane pubblico entusiasta in ogni parte del mondo. La complicità che instaura con i lettori grazie ai suoi libri si sviluppa in modo sorprendente attraverso questi laboratori.

Che si rivolgano agli scolari di un villaggio africano o a centinaia di partecipanti venuti con le loro famiglie in un prestigioso museo giapponese, i laboratori di Hervé Tullet seguono alcune costanti che rappresentano il suo marchio di fabbrica, come la capacità di liberare una forza creativa straordinaria, incanalata con esperienza e rigore dall'artista.

Quando il materiale è pronto e i partecipanti sono ai loro posti, impazienti, l'artista gira a piedi nudi in mezzo ai grandi rotoli di carta dispiegati sul pavimento, rilassato ma concentrato al tempo stesso sul laboratorio da svolgere in sintonia con il luogo e con il gruppo.

Dietro il suo megafono detta una dopo l'altra le consegne ai partecipanti, catturati dal ritmo della sua voce e delle sue istruzioni. Dall'alto della sua statura, domina e dirige un esercito di piccoli artisti allegri e indaffarati, sulle prime disorientati dal dover cambiare posto, una « scomodità » voluta per metterli in tensione e liberare le loro energie, che andranno a fondersi nell'eccitante gioco creativo.

Hervé Tullet incarna un personaggio, forse quello di un Generale-dei-Bambini dall'aspetto autoritario ma che in realtà è benevolo.

Del resto è nell'associazione, rara e sorprendente, di abbandono e disciplina che risiedono la singolarità e il talento dell'artista. Questa disinvoltura non intacca per nulla la cura estrema verso la qualità del progetto. Lo stesso paradosso genera ogni suo libro, un'esplosione di energia creativa divenuta oggetto sofisticato.

A poco a poco i bambini, esortati di continuo a muoversi, sono travolti dall'effervescenza creativa e partecipano con entusiasmo a stendere la pittura proiettandosi gioiosamente in questo gioco. La musica interviene allora a sostenere il ritmo di ogni rappresentazione e trasformazione, che accelerano e si moltiplicano in tutti i sensi, accompagnate qua e là da un pizzico di follia.

A chi si lascia trasportare dalla frenesia del disegno, Tullet rivolge un piccolo cenno, come per dire « va bene così, non occorre altro », mentre a chi esita suggerisce, con una pennellata leggera, un'idea, un motivo da sviluppare... Ma soprattutto imposta un ritmo, gestisce il sottile equilibrio dello spazio, sostiene il flusso di energia, capta ogni opportunità da cogliere. Sempre all'erta, reattivo, deve trovare la sinergia, l'accordo che conduce a una coreografia in cui la vita e l'impulso creativo siano in ogni caso più forti dell'ambiente o del controllo.

Questo ruolo, lungi dall'essere scontato, richiede molta concentrazione e la competenza acquisita durante i laboratori. Un'improvvisazione che Tullet ama definire citando il musicista jazz

Martial Solal: « Ti sembra di cadere, ma non cadi mai ». Nei suoi laboratori cammina su un filo, si assume ogni rischio, compreso quello dell'insuccesso finale, perché sa che soltanto l'energia di gruppo può offrire a ciascuno la gioia di un lavoro collettivo, di un'opera inedita.

Inedita perché sfugge a ogni schema programmato e non nasce da una pratica tecnica, ma soprattutto perché vuole stravolgere gli stereotipi del « disegno perfetto ». Valorizzando la macchia, lo scarabocchio, Hervé Tullet sfida il pregiudizio secolare dell'arte come frutto del solo talento. Da artista contemporaneo, dichiara che l'opera nasce dallo sguardo. Incoraggiando migliaia di bambini a guardare e ad apprezzare in maniera diversa il proprio lavoro, liberandoli dalle inibizioni nella pratica artistica, aiutandoli a conseguire, mediante il gioco, senza sforzi laboriosi, una creazione compiuta, Tullet rende senza dubbio un grande servizio pubblico.

Ma questo universo non ha niente di semplice né di casuale: è il risultato di un cammino artistico originale, pensato, globale, di cui beneficia ogni giorno un numero sempre più alto di bambini. I suoi libri attestano questo percorso, che ha il gioco come pietra angolare. Il gioco come lo concepiva Bruno Munari, figura centrale del futurismo italiano, che ha dedicato la fine della sua carriera artistica all'invenzione di libri che sollecitano, mediante il gioco, la partecipazione attiva del bambino. Sembra quasi che Tullet, animato dagli stessi valori, stia compiendo il percorso inverso: il lavoro di autore lo conduce passo passo verso la pienezza artistica, incarnando al meglio le parole di Charles Baudelaire: « Il genio è l'infanzia ritrovata con un atto di volontà ». Al contrario di tanti adulti, Hervé Tullet non ha mai rotto con l'infanzia. Porta in sé la sottile conoscenza dei suoi meccanismi, della sua sensibilità, la fiducia assoluta nella sua capacità singolare di creare.

A poco a poco l'artista, delicatamente, toglie di mano ai bambini il pennello, incanala l'energia collettiva verso un ritorno graduale alla calma. La posta in gioco, in questa fase, è riconoscere il momento in cui bisogna saper fermare un disegno, per evitare che diventi confuso, senza però imbrigliare il piacere e la dinamica in cui si trovano i partecipanti. La musica che scandisce spesso i laboratori continua anche quando i piccoli artisti fanno qualche passo indietro per contemplare, increduli, la loro opera compiuta, realizzata come per magia dall'energia collettiva e creativa di cui ciascuno, senza eccezioni, è stato parte in causa, e di cui nessuno, da solo, può arrogarsi il merito.

Alcuni bambini, introversi, riservati, ma soddisfatti dell'esperienza vissuta e decisi a salutare il maestro, vanno a stringergli la mano, o a mormorargli un timido « grazie » felice e appagato. Questi istanti di riconoscenza la dicono lunga sulla forza di un artista fuori dalla norma.

Sophie van der Linden è una nota scrittrice, editrice e critica letteraria. Si occupa di letteratura e libri per ragazzi, tiene conferenze e letture presso varie università europee e fa parte della giuria di concorsi prestigiosi come il Premio Internazionale d'Illustrazione « Fiera del Libro per Ragazzi » di Bologna.

A Marie Da Silva e Luc
Deschamps della scuola per
bambini orfani di Jacaranda
in Malawi, per il lavoro e
l'amore che dedicano ai bambini.

www.phaidon.com
www.ippocampoedizioni.it

Prima pubblicazione 2015
© 2015 Phaidon Press Limited,
titolo originale: *Art
Workshops for Children*

Questa edizione italiana
è stata pubblicata nel 2016
da L'ippocampo, Milano, sotto
licenza Phaidon Press Limited,
2 Cooperage Yard, Londra
E15 2QR, Regno Unito, © 2015
Phaidon Press Limited

Traduzione dall'inglese
di Lucia Corradini

ISBN 978 88 6722 197 4

Fotografie a p68 (4ᴀ e 6ᴀ
in senso orario da sinistra
in alto), per gentile concessione
di Electa

Progetto editoriale:
Maya Gartner e
Hélène Gallois-Montbrun

Design:
Melanie Mues

Fotografie:
Jake Green

Testi scritti
in collaborazione
con Sophie Van der Linden

Stampato in Cina

Per maggiori informazioni
sull'autore e i suoi laboratori:

www.herve-tullet.com

Sicurezza dei bambini:
i laboratori di questo libro
sono pensati per essere svolti
da genitori o animatori con dei
bambini sotto la sorveglianza
costante di adulti. Le capacità
dei bambini variano sensibilmente
in funzione dell'età e,
malgrado le precauzioni prese
per identificare i pericoli,
decliniamo ogni responsabilità
nei confronti dei partecipanti
durante queste attività.
Spetta ai genitori e agli
animatori scegliere materiali
adatti e garantire la sicurezza
dei bambini sotto la loro stretta
sorveglianza.